SELF-PRODUCE &
DEBUT AS AUTHOR

自分の本を出すためのバイブル

最速で自己プロデュース＆作家デビューを実現する

中谷彰宏

Akihiro Nakatani

Bible for publishing your own book.

本を出すのは、二人三脚。
内容以前に、
編集者に愛される
人間としてのマナーが勝負。

中谷彰宏

あきひろ

この本は、3人のために書きました。

①本を出したいけど、何を書けばいいかわからない人。

②本を出したいけど、編集者と出会えない人。

③自分のオリジナリティーを知り、自己プロデュースにつなげたい人。

プロローグ

天は、編集者。
地は、読　者。
人は、自　分。

本を出すには、「天・地・人」の3つの力を味方にすることです。

天は、運ではなく、編集者を味方にすることです。
地は、才能ではなく、読者を味方にすることです。
人は、他者ではなく、自分を味方にすることです。

Contents

第4章

「中谷さんが執筆で心がけていることは」という人に……55

～文章を書く上での中谷流心構え～

第5章

「具体的に書く技術が知りたい」という人に……69

～文章を書くための実践方法～

第6章 「本にならない文章とはどんな文章」という人に ……85

～文章を書く上で避けたい注意点～

第7章 「出版できる人はどんな人」という人に ～商業出版と自費出版～

第8章

「誰に教えてもらえばいいか」という人に……115

～1冊で終わる人と本を出し続ける人～

第9章 「編集者と出会いがない」という人に……127
～出版社と編集者～

第10章
「編集者は、どこを見ているか」という人に……139
～出版のチャンスをつかむ人と逃す人～

第11章
「編集者が選ぶ基準は何か」という人に……151
～編集者とのつきあい方～

第1章

「自分に何が書けるかわからない」という人に

～本のテーマの見つけ方～

Bible for publishing your own book.

1

仕事ができなくて、本は書けるという人はいない。

本が書ける人と、仕事ができる人は、共通しています。
本を書くということは、遊びではなく、仕事の一つだからです。
「仕事はできないけれど、本なら書けそうだ」と考えるのは、仕事に失礼です。
自己プロデュースとは、仕事ができるようになることです。

2

まず、自分の職場で、トップを達成する。

自分の職場で、トップになっていた体験もない人の本を読む人はいません。
どんな職業であれ、トップになった人は、何かをつかんでいます。
「今の職場が向いていない」という人が書く本は、読まれません。
たとえ小さなお店でも、何かでトップになった人の経験を知りたいのです。

3

専門的な知識の蓄積が必要になる。

ネットで書く分には、素人で知識がなくても、書けます。
本は、圧倒的な専門的知識や体験がないと書けません。
必要な知識は熟知しておくなどして、蓄積した
専門的知識と体験を通して自分のものにしておくことです。

失敗体験と成功体験、両方の体験と学びを書く。

成功体験しかない人は、本が書けません。
「こうすれば、失敗する」ということが、わからないからです。
失敗からのリカバリーの仕方も、わかりません。
失敗体験しかない人も、本が書けません。
「こうすれば成功する」ということが、わからないからです。

5

テーマになり得るオリジナリティーは、体験から生まれる。

データから、オリジナリティーは、生まれません。
データにオリジナリティーがあったら、誤差があるということになります。
オリジナリティーは、体験から生まれます。
みんなと違う体験から、オリジナリティーは生まれます。

6

自分自身と向き合えない人は、本を書けない。

自己プロデュースとは、自分以外のふりをして見せることではありません。
自分のオリジナリティーに気づくことです。
「よく見せよう」というのは、「ありのままの自分」から目をそらしています。
自分から目をそらす人が、本を書くことはできません。

7

自分の本のテーマは、100冊分書いてから見つかる。

「売れるテーマ」と「自分のテーマ」が完全に一致している必要はありません。

自分の専門分野が深ければ深いほど、

「売れるテーマ」と重なる部分が生まれます。

読者の役に立つことを意識して、100冊分くらい書いた頃、

「自分のテーマ」が見えてくるくらいでいいのです。

時間とお金と労力をかけたことが、本のテーマになる。

「自分のオリジナリティーが、わからない」という人がいます。

見つけ方は、簡単です。

自分が、これまでの人生の中で、一番時間とお金と労力をかけたものに気づけば、それがオリジナリティーです。

回数で言えば、１００００回したことです。

9

今から調べなければならないことに、説得力はない。

「さっそく、調べてみます」という書き手がいます。

「えっ、今から調べるの」と驚きます。

今から調べなければならないレベルのことは、読者に読まれません。

ネットを見て、調理された料理を、お店で食べないのと同じです。

調べなくても、書けるのが、専門分野です。

10

自分がわかってからでは遅い。書くことで、自分がわかる。

「自分が書きたいことがわからないので、わかったら書きます」という書き手がいます。

最初から、書きたいことなんて、わかりません。

書いてみると、書けないこともあれば、意外に書けることもあります。

書くことで、自分が浮き上がってくるのです。

第2章

「どんなことを書けば本にできるかがわからない」という人に

～何をどう書くか～

Bible for publishing your own book.

1

「自分が書きたい本」ではなく、「読者が読みたい本」を考える。

「書きたい」ものが読者の「読みたい」というものと、一致するとは限りません。
優先順位は、「読みたい」ものです。
読者が知りたいのは、それができることによるメリットではありません。
どうしたら、それができるようになるかという方法なのです。

理解できて、想像を超えたことを書く。

誰でも想像できることなら、わざわざ本を買って読みません。
自分の想像を超えたことを、読者は求めています。
想像を超えるといっても、わけがわからない内容は、読みません。
理解できることが、大前提なのです。

3

読者の小さな悩みを、解決する。

読者が、本を読む目的は、自分の小さな悩みを解決することです。
小さな悩みの解決は、大きな悩みの解決より、難しいのです。
大きな悩みの解決は、精神論になってしまいます。
「こういうことで困っている」の解決法を具体的に書くのです。

読者の小さな夢を、実現する。

読者が、本を読むもう一つの目的は、小さな夢を叶えることです。
大きな夢より、小さな夢を叶える方法のほうが、
はるかにリアルで難しいのです。
小さな夢のほうが、より切実です。
実際に叶えたいのは、小さな方の夢なのです。

5

意外性があって、理由付けがあること。

アドバイスは、意外性がないと、刺さりません。
誰でも言いそうなことは、ただの身の上相談です。
誰でも言いそうなアドバイスは、お金を払ってまで読みません。
意外性に、ロジックのある理由があることも、大切です。

6

否定するのではなく、肯定する。

否定は、簡単にできます。
難しいのは、肯定することです。
安い商品のだめなところを見つけるのは、誰でもできます。
安い商品のいいところを見つけることができるのは、観察力のある人です。
本質にたどりかないと、肯定することはできません。

7

一つのテーマで、100通りのアドバイスをする。

「100個の見出しを作ってみてください」と言うと、
途中からテーマが、変わっていってしまう書き手がいます。
それは、書き手の逃げです。
同じテーマで、100個は軽々と出せて、
シリーズ化できるくらいの専門的なアドバイスを、読者は読むのです。

自分の体験から、人の役に立つ情報を書く。

「自分に何ができるか、わからない」という人がいます。
考えなくても、大丈夫です。
とにかく、人の役に立つことを、賢明にコツコツとしていくことです。
お客様のため、会社のため、上司のため、同僚のため、部下のために
できることを続けていくと、書けることが見えてきます。

9

書き手自身に、驚きがあることを書く。

読者のモチベーションは、驚きです。
読者に、驚いてもらうには、書き手がまず驚くことです。
「こんなことは、常識」と、書き手が冷静だと、読者は驚けません。
書き手の紆余曲折の中に、驚きが生まれるのです。

難しいことではなく、「これならやってみよう」と思えることを書く。

具体的な行動を書く時、ハードルが高すぎると、読者は離れます。
料理本で、高級食材店にいかないと買えない食材を、
あたかもいつも冷蔵庫に入っているように書かれると、引いてしまいます。
長年の練習と大掛かりな準備がいる手品の本は、読まれません。
「これなら、できそう」「すぐ、やってみたい」と思える行動が、読まれます。

第3章

「読者をどう想定すればいいですか」という人に

～どう構成していくか～

Bible for publishing your own book.

1

たった一人の読者に向かって書く。

ダイレクトメールは、誰も読みません。
営業メールは、一瞬で、読み手にバレます。
誰が読んでも、通用するように書かれているからです。
細分化とは、一人の読者に向かって書くことなのです。

読者層が少ない
テーマで書く。

つい「読者層を広げがち」になります。
読者層を広げると、ポイントがボケます。
フリーサイズの服は、誰にも「まんべんなく合わない」服なのです。
たった一人の読者に向かって、僕は書いています。
その後ろに、大勢の読者がいるのです。

3

本を読まない層向けの本は、結局、読まれない。

「こんな本を書いている人はいない」と思い、書いても売れません。
そのジャンルの本を書いている人がいないのは、
読者がいないからです。
読者が「少ない」と「いない」は、違うのです。

類書があって、差別化があること。

類書があるのは、市場がある証拠です。
ただし、類書があるから売れるわけではありません。
それだけ、激戦だということです。
そのためには、他の類書とは違う切り口が要るのです。

5

本を読むのが苦手な人を、基準に書く。

本を読むのが得意な人は、一握りです。
本を読むのが苦手な人でも、わかるように書けるのがプロです。
レベルを下げるという意味ではありません。
レベルを下げずに、難しいことをわかりやすく書かれているものを、
読者は好むのです。

正論より、極論を書く。

「正論」は、いわば親父の説教になります。

当たり前で、誰でも、わかっていることです。

「それは、気づかなかった」「そんな考え方もあったんだ」

ということを、読者は求めているのです。

7

王道のジャンルで、切り口が新しいことを書く。

本には王道のジャンルがあります。
王道は、ストライクゾーンです。
ストライクゾーンで、いかに違う球種を投げ分けることができるかが、大切です。
勝負は、ジャンルではなく、切り口なのです。

自慢でもいい。見いだした本質を書く。

自慢が、いけないわけではありません。
「あなたには、できないでしょ」は、ただの自慢です。
「こんないいことがある」も、ただの自慢です。
「こんなふうにすると、できる」というのが、読者が読みたい自慢です。

9

偶然ではなく、読者が再現できることを書く。

読者が求めているのは、「自分が生まれ変わること」です。
せっかく知りたかったのに、「たまたま」と書かれると、がっかりします。
「たまたま」が、一番知りたいところだからです。
「たまたま」では、再現性がないのです。

他の誰かにではなく、自分自身に向かって書く。

「僕は、もうできてるけどね」という書き方だと、
読者への、愛がなくなります。
僕は、なかなかできない自分自身に向かって書いています。
僕も、「相変わらず、よくこんな失敗をするので気をつけないと」と、
自分に言い聞かせながら、書いています。

第4章

「中谷さんが執筆で心がけていることは」という人に

～文章を書く上での中谷流心構え～

Bible for publishing your own book.

1

データは、自分の中にある。

「元ネタは、なんですか」とよく聞かれます。
元ネタは、自分自身の体験です。
「データをつけてください」と言われると、「当人比」にしかなりません。
大勢の他人のデータより、一人の深いデータにこそ、説得力が生まれます。

2

具体的な「あるある」と、「ヒヤリ」があることを書く。

ベースに、「あるある」感がないと、読まれません。

「クリケットにたとえると」と言われても、ピンときません。

そして「ヒヤリ」が、あることです。

「えっ、違うんですか。これまで、そうやってましたけど」

正解と思ってやっていたことが「逆だった」というものが、読まれます。

3

専門的なことを、専門用語を使わずに書く。

読者は、専門用語で、くじけます。
専門用語を、使わずに書ける人は、本質をつかんでいます。
専門用語なしに書けないのは、本質をつかんでいないからです。
それでいて、アバウトではないのが、本質をついているということです。

一人でも切ない思いをする人がいる内容は書かない。

その文章を書くことで、一人でも、切ない思いをする人が存在するのなら、それを書かないのが、優しさです。

読者に味方になってもらうには、読者に優しくなることです。

そのためには、人を悲しませる文章を書かないことです。

5

いい例は実名で、悪い例は誰だかわからないように書く。

悪い内容を、良いこととの対比で書かなければならない時、悪い方の例は、誰だかわからないように書くことです。

たとえ実名を入れなくても、類推できることは、書かないことです。

配慮のない文章は、ルール以前に、人間的な優しさが欠如しています。

優しくない文章は、読まれないのです。

6

データより自分の体験から。データとのギャップを書く。

読者は、グラフや表が、ぞろぞろ並んでいる本を読みません。
説得力は、白書などで発表されている数字より、
書き手自身の体験から生まれます。
体験した時の、データのギャップからのリアリティーを読みたいのです。

7

類書と同じことを書かないために、類書を最低100冊読む。

「類書は、同じことを書きたくないから、読まない」という書き手がいます。

逆です。

同じことを書かないために、類書でチェックするのです。

類書を読んでおかないと、同じことを書いていることに気づけないのです。

読者は、敏感に気づきます。

8

本は、スピーチではない。前置き・感謝・賛辞に読者はお金を払わない。

読者は、読む前に、お金を払っています。
すべてのページに、お金を払っています。
１ページも、ムダなページがあってはいけないのです。
前置き・感謝・賛辞は、読者にはムダなページなので、読者をがっかりさせるのです。

9

ムダ話は、1行も書かない。

わかりやすく、話すように書くことは、大切です。

「話すように書く」とは、会話をそのまま書くということではありません。

会話には、ムダな言葉がたくさんあるのです。

会話は対面なので、余談を入れても、戻せます。

本に、ムダな余談が入ると、本を置かれてしまうのです。

読者の役に立つ情報のみを書く。

「つまらなかったから、本代をお返しします」と言っても、本は、売れません。

返してほしいのは、お金ではなく、時間だからです。

「読んで、損した」というのは、取り返せない時間なのです。

11

母親世代が読めることを基準に書く。

父親は、難しく書いても、読みこなします。
僕は、母親が「近所の人に、読ませてあげたい」という書き方を、基準にしています。
ちょっとでも難しく書くと、母親は忖度なく「難しい」と言います。

書くのが速いのではない。速く書く訓練を積んでいるだけだ。

「中谷さんは、書くのが速いから、１１００冊も書けるんですね」

という人がいます。

書くのが、速いから、書けるのではありません。

書く訓練と実践を膨大にしているから書けるのです。

書く訓練は、本を出す前からできます。

第5章

「具体的に書く技術が知りたい」という人に

～文章を書くための実践方法～

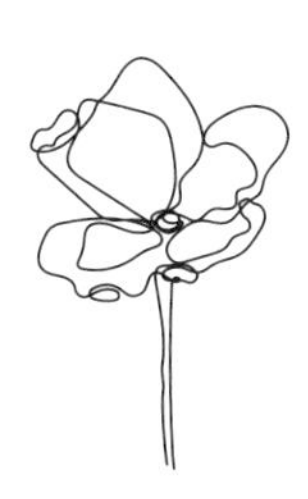

1

体験はディテールを書いて、ムダな部分を削ぎ落とす。

体験の話を書く時は、グダグダ長くならないことです。
どうしても、長くなりがちです。
関係ない自慢も、入り込みやすい。
いかに、話に必要なところだけを書くかが、大事です。
これが、本と会話の違いです。

2

徹底的に書いて、徹底的に削る。

ムダのない文章を書くには、たくさん書いて、たくさん削ることです。

１行書いた１行ではなく、１０００行書いた１行のほうが、刺さるのです。

「せっかく書いたのに、もったいない」と削れなくなると、

読者には、ムダな文章になっていくのです。

どれだけ削れるかが、プロなのです。

3

うまい文章より、わかりやすい文章。

読者が求めているのは、うまい文章ではありません。
文章ではなく、未来の自分を求めているからです。
文章をひねる人ほど、切り口がありません。
わかりやすいシンプルな文章にすることで、
切り口がないことに気づけます。

成長したプロセスを書く。読者は結果よりプロセスを知りたい。

読者が知りたいのは、理由ではなく、結果でもなく、プロセスです。
「なぜ、この本を書いたか」に、読者は興味がありません。
「今、こんなにうまくいっている」という結果は、自慢にすぎません。
書き手が、どんな工夫をして、
どのようにそこに至ったかのプロセスを読みたいのです。

5

正解より、別解を書く。
正解は、みんなわかっている。

読者が求めているのは、「違う見方」です。

同じ考え方でゴリゴリ悩んでいると、行き詰まります。

突破口は、違う発想のアイデアを出すことです。

もう一つの正解である「別解」を、読者は求めています。

本は、将棋。
自分で、自分に反論しながら書く。

読者には、反論するチャンスが、ありません。
書き手は、読者の反論を代弁しなければ、説得できません。
自分の都合で、相手の手を打つ将棋は、できません。
読者の声を聞きながら書くことが、読者に優しい書き方です。

7

速く読めて、内容は深く。

読者の時間は貴重です。

同じ内容なら、３時間で読めるものより、１時間で読める方が、読者に優しいのです。

同じ時間なら、浅い内容より、深い内容を、読者は求めています。

8

「〜してはいけない」より、「〜しよう」を書く。

「〜しないようにしよう」と書かれても、どうしていいかわかりません。
むしろ、より意識してしまいます。
そのかわり「〜しよう」と書かれた文章を、読者は読みます。
オリジナリティーは、「〜してはいけない」ではなく、
「〜しよう」にあります。

9

「Aではない」より、「Aではなく、Bだ」を書く。

「Aではない」とだけ書かれた本は、読まれません。
読者が読みたいのは、「じゃあ、なんなんだ」ということです。
「Aの時代は、終わった」ではなく、
「Bの時代が、始まった」を読みたいのです。
『面接の達人』は、面接が、確認から勝負に変わったことを書いたのです。

10

ありがちなことを出し切らないと、オリジナルのアイデアは出てこない。

「ありがちな、アイデアしか浮かびません」と悩む書き手もいます。
それは、プロでも同じです。
まず、ありがちなアイデアを出し切ってしまわないと、
オリジナリティーのあるアイデアに、たどり着きません。
もちろん、ありがちなアイデアは、全部削除です。

11

話し言葉のままでは、幼くなる。

ネット上に書かれる文章が、幼い文体になるのは、
話し言葉のまま書かれているからです。
横柄な言い回しになるのも、幼い言い回しの変形です。
丁寧な品のある文体に、書き直した文章が、読まれます。

答えを、引っ張らない。

答えを、即、書くのが、読者への優しさです。
「引っ張ったほうが、より読んでもらえる」というのは、
書き手の勘違いです。
「すぐに答えを言うと、読んでもらえない」というのは、
書き手の自信のなさです。

13

伝えたいことを1行で書けないのは、本質をつかめていない。

長々と書かないと、伝えることができないというのは、書き手が、本質をつかんでいないということです。

手術は、短い時間でできないと、合併症が起こります。

読者は、時間つぶしに読んでいるわけではないのです。

見出しだけで、中身がわかる。

読者は、見出しだけを、読んでいきます。
本文は、補足として、読みます。
それに対して、書き手は怒ってはいけないのです。
その読み方でも、伝わる書き方をすることが、
書き手の責任なのです。

15

見出しには、問いではなく答えを書く。

「○○について」は、見出しとしては、不親切です。
「○○で大事なこと」も、不親切です。
「○○とは」も、不親切です。
「○○は、××だ」が、読者に親切な書き方です。

第6章

「本にならない文章とはどんな文章」という人に

～文章を書く上で避けたい注意点～

1

パクリは、バレる。
読者は、読んでいるから。

読者は、類書を読んでいます。
当然、パクリには、最も敏感です。
目が肥えているのです。
読者が、賢明であることを前提に書くことです。

2

盛(も)りは、バレる。リアリティーがないから。

ＳＮＳでは、「盛り」で「いいね」が集まります。
真剣に自分の問題を解決したい人は、「盛り」は、嫌いです。
リアリティーがないのです。
自分の問題解決に、つながらないだけでなく、
信用できなくなるからです。

3

自分の悩みではなく、読者の助けになること。読者は解決策を求めている。

「私は、こんなことで悩んでいる」ということを書いても、読んでもらえません。

読者が求めているのは、「悩みの解決法」です。

「しょうがないよ」という慰めではないのです。

4

精神論ではなく、具体的な行動を書く。

抽象的な精神論は、読者にはまったく参考になりません。
本を書きたい書き手の多くが、精神論を書きたい人です。
精神論にオリジナリティーは、ありません。なくても書けるのです。
精神論を書いている書き手には、自覚がありません。
まず、これは具体的行動ではないなと気づくことから始まります。

5

「思う」で逃げずに、言い切る。遠回しの言い方は、自己弁護に過ぎない。

本は、すべて自分の考えです。
「思う」は、反論された時に逃げる会議用の婉曲表現です。
言い切ってもらわないと、読み手は安心してついていくことはできません。
中庸な言い方よりも、間違っていてもいいので、
自分のスタンスを、はっきり示すことが大切です。

読み手は、お金を出して ネガティブな内容を買わない。

ネットでは、ネガティブな内容が、ヒットします。
本は、ネガティブな内容では、売れません。
お金を払ってまで、自分の本棚に置きたくないのです。
「グチ・悪口・噂話」の本で、生まれ変わることはできないからです。

7

類書に書かれていることを1行でも書くと、パクリの人と判断される。

書き手は、本が好きな人です。
これまで読んできた本が、知らないうちに、自分の考えになっています。
それを商業出版で書くと、パクリになります。
1行でも、アウトです。
「パクる書き手」という烙印は、未来を閉ざしてしまいます。

又聞きを、引用しない。

ネット社会は、又聞き社会です。
ネット社会であればあるほど、リアルな体験が貴重になります。
又聞きは、リアリティーがないので、バレます。
読者は、又聞きでない、リアルな体験談を求めているのです。

9

講演会で聞いた話をそのまま書いたら、バレて、盗作になる。

「本ではなくて、講演会で聞いた話なら、文字になっていないから、盗作にならないだろう」というのは、アウトです。

講演会で話したことも、講演者のものです。

実際、僕の講演がまるまる話の順番通りに書かれている本に出合った時は、むしろ気の毒に思いました。

真似して書いた本は読まれない。オリジナルが読まれる。

引用がある本は、読まれません。
引用を読むくらいなら、オリジナルの本を、読者は読むからです。
「まとめてみました」が成り立つのは、ネットの中だけです。
「引用されている人」も、喜ばないのです。

11

失敗談は、乗り越えていないとグチになる。

失敗談は、成功談より、参考になります。
ただし、失敗談が、グチっぽくなることがあります。
それは、書き手が、まだその失敗を引きずっているからです。
失敗を乗り越えることができた時、グチっぽさは消えます。

12

失敗談は、感謝できていないと恨みになる。

本を書く時、大事なことは、悪人を登場させないことです。

悪人を登場させずに、善を書くのが、本です。

「あの人のおかげで、えらい目にあった」というだけでは、恨みです。

「でも、そのおかげで、今の自分があるから、感謝しています」

というのが、乗り越えたということです。

13

書くことで、誰かに迷惑がかかる暴露話は書かない。

裏話・暴露話は、誰かに迷惑がかかります。

レストランで働いていた人が、そのレストランのレシピを本に書いたら、レシピを作った人の苦労を台無しにしてしまいます。

人気のある人について「こんな嫌なところもある」と書いても、誰もハッピーにならないのです。

パクリをすると、クセになって
オリジナルのアイデアが出なくなる。

パクリをすると、いけないのは、著作権だけの問題ではありません。
一度でもパクリをすると、脳のクセになります。
それ以降、自分でオリジナルを生み出すことが、できなくなるのです。
読者が読みたいのは、オリジナルのアイデアなのです。
書き手が書きたかったのは、自分の考えだったはずなのにです。

15

「これを書けば売れるだろう」という媚びは、読者にバレる。

「こうすると、好かれるだろう」という書き方は、一瞬で、読者にバレます。

書き手と読者は、あくまで対等な関係です。

上から目線でもなければ、媚びた下から目線でもないのです。

「出版できる人は どんな人」 という人に

1

ボツになっても諦めなかった人が、本を出せる。

「本を書く」と「ボツになる」は、同意語です。
無名時代だけでなく、１１００冊以上書いた今でも、ボツはあります。
本を出せる人は、ボツに諦めなかった人です。
ボツで諦めず、書き直し続けるのが、才能です。

「どんな本が売れるんですか」と聞く人に、依頼はこない。

「売れるもの」を基準に発想すると、オリジナリティーはなくなります。

「自分にしかできないこと」と「世の中が求めていること」の交わりが、読まれる本です。

「得意じゃないけど、売れるもの」を書くと、貧相な本になって、読まれません。

3

本業で修羅場をくぐった人は、本を出すことをクリアできる。

「本を出すのが、こんなに大変だと思わなかった」という書き手がいます。
その人は、本業で、修羅場をくぐったことがなかった人です。
僕は、広告代理店で修羅場を体験したので、
それに比べれば、本を書くことは、大変に感じませんでした。
その人が、何で修羅場をくぐってきたかが、オリジナリティーです。

「書きたいこと」がある人は、書くなと言われても書いてしまう。

「1冊200ページも、書かないといけないんですね」と言う人がいます。

僕の中では、「1冊200ページしか、書けない」です。

書かないといけないのではなく、書いてしまうのです。

「特に、変わった体験もないんですけれど」と言う人がいます。

お客様に、クレームを言われるのも、立派な体験です。

5

コツコツ努力ができない人は、本を出すことも、仕事もできない。

「仕事が、面倒くさい仕事なので、好きな本でも書きたい」

という書き手がいます。

本を書くとは、仕事と同じくらい面倒くさい作業を伴います。

コツコツ努力が嫌いな人に、本を出すことはできないのです。

売り込むヒマがあったら、まずブログに１００項目を書く。

出版社に、やみくもに連絡している書き手もいます。
そういう人に限って、ブログが、全く更新されていません。
編集者は、ブログを見ています。
ブログは、最低でも１００項目ないと、「書ける人」と判断してもらえません。

7

無料のネットで読まれても、有料の本では売れない。

ネットで大人気だから、本でも読まれるということはありません。
1円でも出す時、意識が全く変わります。
ハードルが、一気に上がります。
本を書いている書き手は、お金を出してもらえるかどうかの、
ヒリヒリする現実と格闘しているのです。

印税は、不労所得ではなく、過労所得。

「夢の印税生活」と考えている書き手は、挫折します。
本を書くということは、肉体労働です。
圧倒的な体力と精神力を求められます。
芸術活動ではなく、サービス業なのです。

9

力まない。でも、「ラクして出せる」は、「ラクして儲かる」と同じサギ。

書き始める前には、力みすぎないことです。
「力まない」というのは、「ラクをしてもいい」ということではありません。
どんな世界にも、「ラクをして、儲かります」というサギが存在します。
「ラクして、本を出したい」を思うと、サギを引き寄せてしまいます。

自費出版は、自費印刷。自分のお金で出すなら、好きに書いていい。

好きなことを書きたいなら、自費出版することです。
趣味でするなら、お金を出すことです。
書店さんも、出版社も、趣味ではなく、商売なので、
自費印刷の本を置く余裕はありません。
どちらを選ぶかは、書き手の自由です。

11

自分の書いた原稿を読み返せる人が、本を出せる。

原稿でも、ブログでも、誤字脱字が多い人がいます。

ネット時代になって、ますます増えました。

簡単に文字にできるようになって、

自分の文章を読み返さなくなっているのです。

「いいね」の欄を読む時間があったら、自分の文章を読み返すことです。

12

本を出すと、もれなく中傷がついてくる。

「せっかく苦労して書いたのに、悪口を書かれる」と悩む書き手もいます。
これはＳＮＳ時代だからではなく、手紙の時代からありました。
読んでもらうということは、悪口を言われることもあるということなのです。
本を出している人全員にきているので、大丈夫です。
人が本を出した時、悪口を言う側になるか、自分も出す側になるかです。

13

友達の「絶対買う」は、参考にならない。

「友達は、みんな買うと言ってくれています」と言う書き手もいます。
友達に売れても、本は採算が取れません。
5万部買い取ってくれる友達がいたら、出るかもしれません。
でも、そんな無味乾燥な仕事をしたくないのも、
編集者に志があるからです。

第8章

「誰に教えてもらえばいいか」という人に

～1冊で終わる人と本を出し続ける人～

Bible for publishing your own book.

1

アドバイスを求めるなら、本を出し続けている人に。

本を出すには、「誰にアドバイスを求めるか」が大事です。
つまり「本を出したことがある人」に聞くことです。
そして「本を出し続けている人」に聞くことです。
僕は、29歳で最初の本を出してから、
34年間で１１００冊以上の本を出しています。

本を出すリアリティーがある人は、本を出す人がそばにいる人。

「本を出したいけど、根気が続かない」という書き手がいます。
根気が続かないのは、リアリティーがないからです。
身近に、本を書いている人がいると、一気にリアリティーが湧いてきます。
身近に、東大生がいると、東大が雲の上ではなくなるのと同じです。

3

企画書ではなく、１００項目の見出し目次を持っていく。

「企画書を見てください」と迫る書き手がいます。

企画書では、判断できません。

一つのテーマで、見出しが１００個あれば、判断できます。

企画書を書くヒマがあったら、見出しを１００個書くことです。

4

100項目の中で、同じ切り口は、重複しない。

「『言いたいこと』を見出しにして、100個書いてみて」と言うと、20個目くらいから、重複が始まる書き手がいます。

その書き手は、20個しか、ネタがないということです。

テーマが変わってしまうのも、一つのテーマで100個の切り口がないということです。

5

書くべきことは、無限に残っている。

「こんなにたくさん本があって、もう自分には書くべきことが、残っていないんじゃないか」という不安にかられる書き手もいます。

大丈夫です。無限にあります。

「これだけ大勢人間が生まれたんだから、もう生まれない」

ということがないのと、同じです。

6

書くことで、伝えたいアイデアが浮かんでくる。

「中谷さんは、１１００冊以上も本を書いて、書くことはなくならないんですか」と、よく聞かれます。なくなりません。書くことで、どんどんアイデアが湧いてくるからです。

1冊書くと、10冊分の次のアイデアが浮かんできます。

アイデアを作るには、書くことなのです。

7

ロングセラーの表面を真似るのではなく、本質をつかむ。

本が売れると、「どじょう本」がたくさん生まれます。
「どじょう本」が、すべてダメなのではありません。
「残念などじょう本」と「いいどじょう本」に分かれます。
表面を真似るのが「残念などじょう本」です。
本質をつかまえて、応用・進化させるのが「いいどじょう本」です。

運がないのではない。
マナーがない。

「運がなくて、せっかくいい原稿があるのに、本が出せない」と言う書き手がいます。

本を出せるかどうかは、運ではなく、マナーです。

人間としての基本的マナーがないと、編集者に嫌われます。

9

「人を紹介するのが当たり前」と考える人は、人生がうまくいかない。

人を紹介して、当たり前ではありません。

紹介しないのが、当たり前なのです。

紹介してダメだった時に、「もっといい人を紹介してくれないと」と考える書き手が多いのです。

99％がそういう人であれば、きちんとしているだけで、予選通過です。

本を出す前に、人間として学ぶべきことを学んでおく。

「構成を教えてください」と言う前に、マナーを学ぶことです。

挨拶ができない、笑顔ができない、お辞儀ができないようでは、どんなに才能があっても、チャンスはつかめません。

本を出してもらえない原因は、本の書き方でなく、人としての、あり方であることに気づくことです。

第9章

「編集者と出会いがない」という人に

～出版社と編集者～

1

「本を出せば有名になって売上が上がる」と考える人は、商業出版されない。

本を、パンフレットがわりに考えている書き手がいます。
そう勧める商売の人もいます。
編集者が勧めているのは、出版社であって、広告会社ではありません。
宣伝のための本を作りたい編集者は、いないのです。

2

原稿を出版社に送っても、返事がないのが当たり前。

「出版社に、原稿を送っているのに、なんの連絡もなく、ひどい」と怒っている書き手がいます。

無数の原稿が送られてきて、山積みになっていることを知らないのです。

「要返却」と書いて、返信封筒も入っていないマナー違反もあり得ません。

甘やかされて育った赤ちゃんは、本を出す側には回れません。

3

編集者が「売れる」と判断した原稿だけが、商業出版される。

「こんなに面白い原稿なのに、なんで本にしてくれないのか」と、キレる書き手もいます。

編集者が見ているのは、「面白いか」ではなく、「売れるか」です。

趣味ではなく、仕事だからです。

編集者は、ボランティアではなく、ビジネスとして仕事をしている。

「この本は、売れなくても、出す意義がある」と粘る書き手もいます。
その場合は、自費出版をすることです。
編集者は、ビジネスなので、売れないとクビになります。
編集者をクビにする権利は、書き手にないのです。

5

編集者とコミュニケーションができない人は、本は出せない。

「なんで、こんないい内容が、理解できないかな」とぼやく書き手がいます。

編集者を説得できないようでは、読者は説得できません。

話す能力のない人は、書く能力もないと編集者に判断されます。

タイトルで、答えがわかる原稿だけが、編集者に読んでもらえる。

「タイトルを、謎にしておいたほうが、興味を持ってもらえるでしょう」

という書き手も、います。

タイトルが謎で売れるのは、人気アイドルだけです。

興味を持ってもらう前に、スルーされてしまいます。

7

「編集者と出会いがない」という人は、編集者以外とも、出会いがない。

「異性と出会いがない」と言っている人は、
同性と出会おうとしていません。
異性とコミュニケーションができない人は、同性ともできません。
出会いは、受け身では生まれません。
自発的に、自分から出会っていくことが大事です。

「会ってください」より、「会っていただくには、どうすればいいか」。

「とにかく、会ってください」という書き手は、
自分の都合だけで考えています。

チームワークとは、相手の都合を考える余裕があることです。
出待ちをする人は、避けられるようになってしまいます。

9

「紹介してください」という人に限って、紹介したくない人が多い。まず、紹介したい人になる。

「紹介してください」という人は、紹介の重みに気づいていません。
紹介した人のマナーが悪かった時、
紹介した人に「なんという人を紹介するんだ」と迷惑がかかります。
まずは、目の前の人が、紹介したい人になることが大切です。

小さな出版社を侮る人は、本を出せない。

「聞いたことがない出版社なんです」とグチを言う書き手がいます。
出版社を軽んずる人は、本を出してもらえません。
無名の小さい出版社は、限られた予算の中で、
真剣に本を作っています。
その温情を感じることができない人は、本業もうまくいかないのです。

第10章

「編集者は、どこを見ているか」という人に

~出版のチャンスをつかむ人と逃す人~

Bible for publishing your own book.

1

ベテランも、新人も、条件は同じ。

「中谷さんは、ベテランだから、簡単に本を出せるでしょ」

という書き手の人がいます。

これは、だいぶ甘く、世の中を見ています。

ベテランも新人も、本を出すか出さないかは、同じ条件での勝負です。

「自分は、無名だから」というのは、反省から逃げているだけです。

2

編集者はサラリーマンであり、営業マンである。

「編集者が、数字のことばかり言う」と、こぼす書き手もいます。
数字を言うのは、当然です。
編集者は、本を作ってくれる人であり、本を売ってくれる人です。
芸術活動をしているわけではないのです。

3

その人の個性は、マナーの中にある。

個性というと、とんがったことをしなければならないと思うのは、勘違いです。

きちんとしたことが、どれだけできるかが、個性です。

マナーがきちんとしている人ほど、個性が目立つのです。

編集者は、200ページある原稿を確認して、1ページだけ読んで判断する。

1ページしか書かれていない原稿は、編集者に読んでもらえません。
いざ執筆を依頼しても、1冊分書けないのでは、
自分のペナルティーになってしまうからです。
200ページあって、1ページだけ、読まれます。
1ページで編集者が「ないな」と判断するのは、プロだからです。

5

最初の読者は、編集者。

僕は、編集者に向かって書いています。
編集者が、最初の読者だからです。
最初の読者に刺さらなければ、誰にも刺さらないのです。
自分が書きたい本ではなく、編集者が求める本が、出されます。

見出しは、草野球式。強い項目順に並べる。

「構成の仕方が、わかりません」と悩む書き手がいます。
こういう書き手にかぎって、大事なことを、後ろに持っていきます。
100個の見出しは、最初の5個が勝負です。
強いものから順に、並べることです。

7

「これから、面白くなるんです」という原稿は、読んでもらえない。

完成していない原稿を、持ち込む書き手もいます。
「イマイチ」と編集者に言われた時、
「これから、面白くなるんです」と言い訳します。
これで、次回読んでもらえるチャンスを失います。
言い訳をする人は、プロとは仕事ができないのです。

好きな作家のパクリをすると、好きな作家と編集者と読者に嫌われる。

好きな作家ほど、似たことを書きたくなる気持ちは、わかります。
ところが、それを書くと、まず類書を読んでいる読者にバレます。
プロである編集者も、見抜きます。
僕のところにも、「パクってる人がいますよ」と通報が来ます。
好きな作家から、嫌われることになってしまいます。

9

紹介してもらったら、紹介者に、お礼・経緯・結果を報告する。

紹介してあげて、どうなったか心配していると、なしのつぶてになる書き手が多いです。

だいぶ経ってから出会った時、「あれだめでした。また、紹介してください」と平気で言います。

こうして人生で、多くのチャンスを逃しているのです。

出してもらうことを求めるより、アドバイスを求める。

「なんとしても、出してください」と言うと、
編集者を交渉相手に、してしまいます。
編集者は、交渉相手ではなく、相談相手です。
相談相手として、アドバイスを求めることです。
「どうしたら、出せる原稿になりそうですか」とアドバイスを求めるのです。

第11章

「編集者が選ぶ基準は何か」という人に

～編集者とのつきあい方～

Bible for publishing your own book.

1

本を出すのは、編集者とのチームワーク。

書くだけなら、一人でできます。
本を出すのは、編集者がいないとできません。
どんなにいい内容でも、チームワークがよくないと、本は出せません。
本を出したいなら、まずチームワーク力をつけることです。

出版社ではなく、編集者との信頼関係を大事にする。

「どこの出版社がいいですか」と聞く書き手がいます。
書き手が仕事をするのは、会社とではありません。
編集者という一人の人間なのです。
人間と人間の信頼関係を構築できる人が、本を出せます。

3

レスポンスは速く、返事をせかさない。

レスポンスが遅い書き手は、一緒に仕事ができません。
レスポンスが遅い書き手に限って、自分からは、せかします。
それは、どんな仕事でも同じです。
「本業があるので」は、言い訳になりません。
編集者は、本業として仕事をしているのです。

返事をもらったら、すぐに御礼状を出す。

運良く、返事が来たら、即、御礼状を出せることです。
良い返事には御礼状を出せるけど、
ボツには出せないと言う人は、感謝の気持ちがありません。
返事をもらうだけで、感謝すべきことなのです。
ボツの時こそ、即、御礼状を出すことです。

5

編集者のアドバイスを、素直に聞ける。

「編集者が、頭が固くて、理解してくれない」という書き手がいます。
そういう人は、編集者のアドバイスが聞けません。
二人三脚で仕事をしなければならないのに、
編集者からは「この人とは、仕事ができないな」と判断されてしまいます。
素直さは、あらゆる仕事で必須の条件です。

編集者に、マウンティングしない。

「自分の原稿を、出させてやる」という強気の書き手がいます。
初めての本だけでなく、大先生でも、これでは出してもらえません。
御本人は、駆け引きとしてしているつもりですが、
駆け引きが通用するほど、甘い世界ではありません。
人柄と内容で、きちんと判断されて、本になります。

7

「他の編集者を紹介してください」は、失礼になる。

ボツになった時、こう言う書き手がいます。

恋愛にたとえると、振られた時、

「じゃあ、誰か別の女の子を紹介してください」と言うのと同じです。

自分の利益にしがみつくと、

失礼な発言をしていることに、気づかなくなってしまいます。

8

編集者は、実売データを持っている。

編集者は、ネットでのランキングに惑わされません。

なぜなら、全国津々浦々の書店での毎日の実売情報を持っているからです。

「『○○で1位』という作戦でいきます」と書き手が言っても、書店で売れなければ、本にしてもらえません。

9

1冊目が売れなかったら、「あの人は、売れない」という烙印になる。

「とりあえず、1冊目が出れば、後は次々と依頼が来る」というのは、実際は、逆です。

最初に出た本が売れなかった負の歴史は、未来を閉ざします。

だから、最初の1冊目は、とりあえず出してはいけないのです。

10

編集者は、落とす人ではなく、本を出してくれる人。

編集者との出会いは、就活の面接と同じです。
面接官を「落とす人」と解釈した人は、敵に感じてしまいます。
編集者は、「本を出してくれる人」と考えると、親近感が湧いてきます。
味方になってもらうには、協力者であるという意識を持つことです。

11

編集者に書き直しを求められたら、即、書き直して持っていく。

「こんな風に書き直したら」と編集者にアドバイスをもらったら、書き手としては、かなりラッキーなことです。

ところが、せっかくアドバイスをもらっておきながら、書き直しを即、持っていかない書き手が、ほとんどなのです。

翌日、書き直してきましたと、出せる人がチャンスをつかめるのです。

書き直しに、どこまでもつきあう。

「編集者に、書き直しを持っていったら、またダメ出しされました」とグチる書き手がいます。

書き直しは、無限に続きます。

書き直しからが、書くということなのです。

逆に「いいんじゃない」と言われたら、ボツということです。

13

編集者を信じない人は、
編集者からも信じてもらえない。

「この編集者で、大丈夫ですかね」という書き手もいます。
編集者を信じることができないようでは、
誰からも、信じてもらえません。
チームワークは、まず自分が先に信じることからです。
「この編集者なら、失敗してもいい」と思えることが、信じることなのです。

「有名人と共著なら出します」は、「あなただけではムリ」という意味。

「共著をしてもらえませんか」という依頼が、よく来ます。

「『中谷さんと共著なら、出せます』と言われたので」とその書き手の人は、言います。

「有名人と共著なら出します」というのは、ボツという意味なのです。

15

タイトルは、編集者のために。
帯コピーは、書店さんのために。
サブタイトルは、読者のために。

タイトルは、編集者が、売れるためにつけます。

帯コピーは、書店さんが、どこのコーナーに置けばいいか、一瞬でわかるようにつけます。

サブタイトルは、読者が本を選ぶために、つけます。

原稿の段階で、カバーを考えておきます。

エピローグ

編集者は、長くつきあえる書き手を探している。

僕の1冊目は、300枚を4回書き直しさせられて、「結局、最初のが良かったね」と言われて、最初の原稿で出た。

編集者は、書き手の「根気」を見ています。

「この人間は、書き直しをどれだけ、いとわずにできるか」を見ています。

「この人と、一生つきあえるか」を見ているのです。

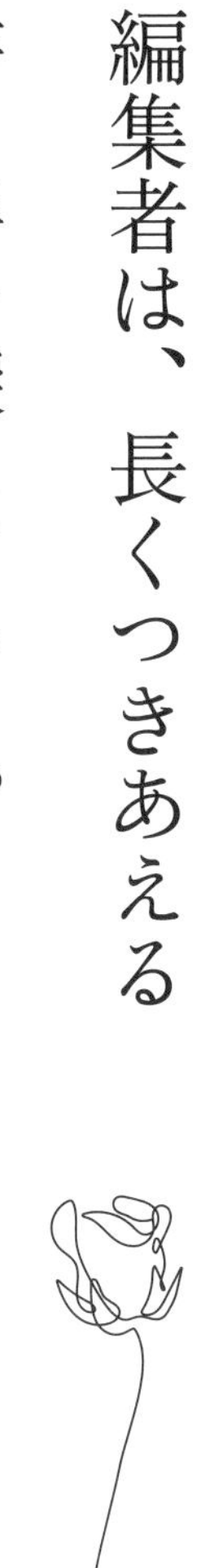

主な作品一覧

【ダイヤモンド社】

『60代でしなければならない50のこと』
『面接の達人 バイブル版』
『なぜあの人は感情的にならないのか』
『50代でしなければならない55のこと』
『なぜあの人の話は楽しいのか』
『なぜあの人はすぐやるのか』
『なぜあの人は逆境に強いのか』
『なぜあの人の話に納得してしまうのか［新版］』
『なぜあの人は勉強が続くのか』
『なぜあの人は仕事ができるのか』
『25歳までにしなければならない59のこと』
『なぜあの人は整理がうまいのか』
『なぜあの人はいつもやる気があるのか』
『なぜあのリーダーに人はついていくのか』
『大人のマナー』
『プラス1％の企画力』
『なぜあの人は人前で話すのがうまいのか』
『あなたが「あなた」を超えるとき』
『中谷彰宏金言集』
『こんな上司に叱られたい。』
『フォローの達人』
『「キレない力」を作る50の方法』
『女性に尊敬されるリーダーが、成功する。』
『30代で出会わなければならない50人』
『20代で出会わなければならない50人』
『就活時代しなければならない50のこと』
『あせらず、止まらず、退かず。』
『お客様を育てるサービス』
『あの人の下なら、「やる気」が出る。』
『なくてはならない人になる』
『人のために何ができるか』
『キャパのある人が、成功する。』
『時間をプレゼントする人が、成功する。』
『明日がワクワクする50の方法』
『ターニングポイントに立つ君に』
『空気を読める人が、成功する。』
『整理力を高める50の方法』
『迷いを断ち切る50の方法』
『なぜあの人は10歳若く見えるのか』

『初対面で好かれる60の話し方』
『成功体質になる50の方法』
『運が開ける接客術』
『運のいい人に好かれる50の方法』
『本番力を高める57の方法』
『運が開ける勉強法』
『バランス力のある人が、成功する。』
『ラスト3分に強くなる50の方法』
『逆転力を高める50の方法』
『最初の3年その他大勢から抜け出す50の方法』
『ドタン場に強くなる50の方法』
『アイデアが止まらなくなる50の方法』
『思い出した夢は、実現する。』
『メンタル力で逆転する50の方法』
『自分力を高めるヒント』
『なぜあの人はストレスに強いのか』
『面白くなければカッコよくない』
『たった一言で生まれ変わる』
『スピード自己実現』
『スピード開運術』
『スピード問題解決』
『スピード危機管理』
『一流の勉強術』
『スピード意識改革』
『お客様のファンになろう』

『20代自分らしく生きる45の方法』
『なぜあの人は問題解決がうまいのか』
『しびれるサービス』
『大人のスピード説得術』
『お客様に学ぶサービス勉強法』
『スピード人脈術』
『スピードサービス』
『スピード成功の方程式』
『スピードリーダーシップ』
『出会いにひとつのムダもない』
『なぜあの人は気がきくのか』
『お客様にしなければならない50のこと』
『大人になる前にしなければならない50のこと』
『なぜあの人はお客さんに好かれるのか』
『会社で教えてくれない50のこと』
『なぜあの人は時間を創り出せるのか』
『なぜあの人は運が強いのか』
『20代でしなければならない50のこと』
『なぜあの人はプレッシャーに強いのか』
『大学時代しなければならない50のこと』
『あなたに起こることはすべて正しい』

【きずな出版】
『チャンスをつかめる人のビジネスマナー』
『生きる誘惑』

『しがみつかない大人になる63の方法』
『「理不尽」が多い人ほど、強くなる。』
『グズグズしない人の61の習慣』
『イライラしない人の63の習慣』
『悩まない人の63の習慣』
『いい女は「涙を背に流し、
微笑みを抱く男」とつきあう。』
『ファーストクラスに乗る人の自己投資』
『いい女は「紳士」とつきあう。』
『ファーストクラスに乗る人の発想』
『ファーストクラスに乗る人の人間関係』
『いい女は「言いなりになりたい男」とつきあう。』
『いい女は「変身させてくれる男」とつきあう。』
『ファーストクラスに乗る人の人脈』
『ファーストクラスに乗る人の仕事』
『ファーストクラスに乗る人の教育』
『ファーストクラスに乗る人の勉強』
『ファーストクラスに乗る人のお金』
『ファーストクラスに乗る人のお金2』
『ファーストクラスに乗る人のノート』
『ギリギリセーーフ』

【リベラル社】

『好かれる人の言いかえ』
『好かれる人は話し方が9割』【文庫】

『20代をどう生きるか』
『30代をどう生きるか』【文庫】
『メンタルと体調のリセット術』
『新しい仕事術』
『哲学の話』
『1分で伝える力』
『「また会いたい」と思われる人
「二度目はない」と思われる人』
『モチベーションの強化書』
『50代がもっともっと楽しくなる方法』
『40代がもっと楽しくなる方法』
『30代が楽しくなる方法』
『チャンスをつかむ 超会話術』
『自分を変える 超時間術』
『問題解決のコツ』
『リーダーの技術』
『一流の話し方』
『一流のお金の生み出し方』
『一流の思考の作り方』
『一流の時間の使い方』

【PHP研究所】

『自己肯定感が一瞬で上がる63の方法』【文庫】
『定年前に生まれ変わろう』
『メンタルが強くなる60のルーティン』

『中学時代にガンバれる40の言葉』
『中学時代がハッピーになる30のこと』
『もう一度会いたくなる人の聞く力』
『14歳からの人生哲学』
『受験生すぐにできる50のこと』
『高校受験すぐにできる40のこと』
『ほんのささいなことに、恋の幸せがある。』
『高校時代にしておく50のこと』
『お金持ちは、お札の向きがそろっている。』【文庫】
『仕事の極め方』
『中学時代にしておく50のこと』
『たった3分で愛される人になる』【文庫】
『「できる人」のスピード整理術』【図解】
『「できる人」の時間活用ノート』【図解】
『自分で考える人が成功する』【文庫】
『入社3年目までに勝負がつく77の法則』【文庫】

【大和書房】

『いい女は「ひとり時間」で磨かれる』【文庫】
『大人の男の身だしなみ』
『今日から「印象美人」』【文庫】
『いい女のしぐさ』【文庫】
『美人は、片づけから。』【文庫】
『いい女の話し方』【文庫】
『「女を楽しませる」ことが男の最高の仕事。』【文庫】
『男は女で修行する。』【文庫】

【水王舎】

『なぜ美術館に通う人は「気品」があるのか。』
『なぜあの人は「美意識」があるのか。』
『なぜあの人は「教養」があるのか。』
『結果を出す人の話し方』
『「人脈」を「お金」にかえる勉強』
『「学び」を「お金」にかえる勉強』

【あさ出版】

『孤独が人生を豊かにする』
『気まずくならない雑談力』
『「いつまでもクヨクヨしたくない」とき読む本』
『「イライラしてるな」と思ったとき読む本』
『なぜあの人は会話がつづくのか』

【自由国民社】

『期待より、希望を持とう。』
『不安を、ワクワクに変えよう。』
『「そのうち何か一緒に」を、卒業しよう。』
『君がイキイキしていると、僕はうれしい。』

【青春出版社】

『人はマナーでつくられる』

『50代「仕事に困らない人」は
見えないところで何をしているのか』
『50代から成功する人の無意識の習慣』
『いくつになっても「求められる人」の小さな習慣』

【すばる舎リンケージ】
『仕事が速い人が無意識にしている工夫』
『好かれる人が無意識にしている文章の書き方』
『好かれる人が無意識にしている言葉の選び方』
『好かれる人が無意識にしている気の使い方』

【日本実業出版社】
『出会いに恵まれる女性がしている63のこと』
『凛とした女性がしている63のこと』
『一流の人が言わない50のこと』
『一流の男 一流の風格』

【かざひの文庫】
『銀座スタイル』
『本に、オトナにしてもらった。』
『そのひと手間を、誰かが見てくれている。』

【河出書房新社】
『一流の人は、教わり方が違う。』【新書】
『成功する人のすごいリアクション』
『成功する人は、教わり方が違う。』

【現代書林】
『チャンスは「ムダなこと」から生まれる。』
『お金の不安がなくなる60の方法』
『なぜあの人には「大人の色気」があるのか』

【ぱる出版】
『品のある稼ぎ方・使い方』
『察する人、間の悪い人。』
『選ばれる人、選ばれない人。』

【DHC】
『会う人みんな神さま』ポストカード
『会う人みんな神さま』書画集
『あと「ひとこと」の英会話』

【第三文明社】
『中谷彰宏の子育てワクワク作戦』
『仕事は、最高に楽しい。』

【ユサブル】
『迷った時、「答え」は歴史の中にある。』
『1秒で刺さる書き方』

【大和出版】
『自己演出力』
『一流の準備力』

【リンデン舎】
『状況は、自分が思うほど悪くない。』
『速いミスは、許される。』

【毎日新聞出版】
『あなたのまわりに「いいこと」が起きる70の言葉』
『なぜあの人は心が折れないのか』

【文芸社】
『全力で、1ミリ進もう。』【文庫】
『贅沢なキスをしよう。』【文庫】

【総合法令出版】
『「気がきくね」と言われる人のシンプルな法則』
『伝説のホストに学ぶ82の成功法則』

【ベースボール・マガジン社】
『「生活のアスリート」になろう。』

【春陽堂書店】
『色気は、50歳から。』

【エムディエヌコーポレーション】
『カッコいい大人になろう』

【彩流社】
『40代「進化するチーム」のリーダーは部下をどう成長させているか』

【学研プラス】
『読む本で、人生が変わる。』

【WAVE出版】
『リアクションを制する者が20代を制する。』

【二見書房】
『「お金持ち」の時間術』【文庫】

【ミライカナイブックス】
『名前を聞く前に、キスをしよう。』

【イースト・プレス】
『なぜかモテる人がしている42のこと』【文庫】

Akihiro Nakatani

著者略歴

中谷 彰宏（なかたに あきひろ）

1959年、大阪府生まれ。早稲田大学第一文学部演劇科卒業。84年、博報堂勤務を経て、独立。91年、株式会社中谷彰宏事務所を設立。「中谷塾」を主宰。セミナー、ワークショップ、オンライン講座を行っている。

「本の感想など、どんなことでも、
あなたからのお手紙を楽しみにしています。
他の人に読まれることはありません。
僕は、本気で読みます。」 中谷彰宏

〒104-8415 東京都中央区銀座 7-16-3
株式会社東京ニュース通信社　第三編集部気付
中谷彰宏　行
※食品、現金、切手などの同封はご遠慮ください。（編集部）

【中谷彰宏公式サイト】

https://an-web.com/

【Instagram】

https://www.instagram.com/nakatani_akihiro.official/

中谷彰宏は、盲導犬育成事業に賛同し、この本の印税の一部を（公財）日本盲導犬協会に寄付しています。

自分の本を出すためのバイブル

2023年3月31日　第1刷

著　者　中谷 彰宏

編　集　黒岩 久美子　船木 桂子
制作協力　畔上 治久（Is Factory）

発行者　菊地 克英

発　行　株式会社東京ニュース通信社
〒104-8415 東京都中央区銀座 7-16-3
電 話 03-6367-8023

発　売　株式会社講談社
〒 112-8001 東京都文京区音羽 2-12-21
電 話 03-5395-3606

装　丁　西尾 浩　村田 江美

印刷・製本　株式会社シナノ

ISBN 978-4-06-531817-1